MI HERMANITO ES AUTISTA

Eileen Whitlock Manrique
Ilustraciones por
Mrinali Álvarez Astacio

LA EDITORIAL
UNIVERSIDAD DE PUERTO RICO

Al lector

Este cuento está basado en una historia verdadera, de lucha, esperanza, perseverancia, tolerancia y sobre todo mucho amor. El autismo es una condición que afecta las destrezas de comunicación, cómo nos relacionamos con los demás, la imaginación y los sentidos. Actualmente alcanza cifras inimaginables: uno de cada 150 nacimientos es diagnosticado con autismo, el cual es más común en niños que en niñas. Uno de ellos, es alguien bien cerca de mi corazón, que gracias a terapias tempranas e intensas, asiste a un colegio regular y deleita a todos con sus ocurrencias.

Debido a que el autismo es una condición de amplio espectro no todos los niños se benefician, ni responden igual a las terapias. Sin embargo, detrás de cada historia de éxito, hay madres y padres luchando para que su hijo siga adelante. Admiro a todos por su perseverancia y entrega total. Para ellas y ellos, y gracias a ellas y ellos, se escribió este libro.

Deseo agradecer a Aimée Cora, presidenta de la Alianza de Autismo y Desórdenes Relacionados, por apoyar este proyecto. A Lydia Cora, por ayudarme a darle forma al mismo. Le agradezco al Dr. Ohel Soto Raíces, psiquiatra de niños y adolescentes, de la Escuela de Medicina, Universidad Central del Caribe de Bayamón por su tiempo y comentarios acertados.

Eileen Whitlock Manrique

Quiero presentarte a
mi hermanito Juan.
Él es un niño autista.
Te voy a contar.

La terapista nos dijo
que poco a poco
mejorará; con amor
y una rutina
lo podemos ayudar.

Estoy muy decidida
a ayudar a mi mamá
a lograr que mi
hermanito se pueda
comunicar.

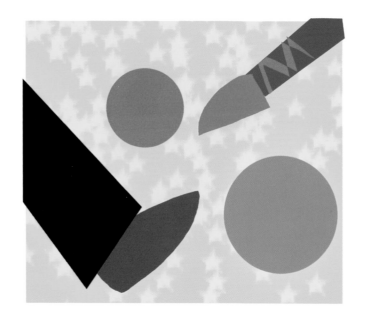

Me pongo de cabeza
para llamar su atención;
él sigue enfocado
otra vez en su camión.

Cuando patea la pelota
puede hacerlo sin parar
y le dan unas rabietas
que no parecen cesar.

Hoy mamá nos cubrió el cuerpo
con crema de afeitar.
A Juan no le gustó la terapia;
yo la encontré genial.

Me encanta cuando mamá
esconde tesoros
en un cubo con arroz.
Juntos metemos las manos
para sacarlos los dos.

¡Cuánto quisiera que Juan
viniera conmigo a jugar!
¡De piratas y vaqueros
nos podríamos disfrazar!

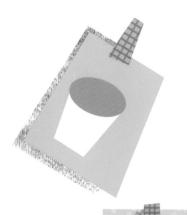

No nos damos por vencidos
si no nos quiere tocar.
Todos los días tratamos
de poderlo abrazar.

Le ponemos muchas fotos
pegadas en un tablón.
Él escoge la que quiere,
casi siempre es un balón.

En el parque me preguntan:
¿Por qué no habla tu hermano?
Contesto que él es así
y lo tomo de la mano.

Si pisa algo que le molesta,
camina de puntillitas.
Si se pone muy nervioso,
comienza a agitar las manitas.

El día de su cumpleaños
no le pudimos cantar
porque los ruidos y aplausos
lo hacen llorar.

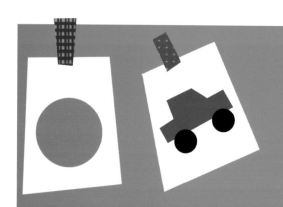

Hoy es un día especial
y vamos a celebrar.
Después de muchas terapias
¡Juan comenzó a hablar!

INFORMACIÓN Y ORIENTACIÓN
SOBRE EL AUTISMO:

Alianza de Autismo y Desórdenes Relacionados
de Puerto Rico
www.alianzaautismo.org
info@alianzaautismo.org
787-207-3700

Autism Speaks Inc.
Cure Autism Now Foundation
www.autismspeaks.com

Grupo de apoyo en Internet:
http://espanol.groups.yahoo.com/group/
alianzaautismoenpr/

A mami

—*E.W.M.*

TÍTULOS PUBLICADOS

Serie Raíces:
Las artesanías
Grano a grano
Los Tres Reyes (a caballo)
La fiesta de Melchor
Verde Navidad

Serie Cantos y juegos:
¡Vamos a jugar!
Pon, pon...¡A jugar con el bebé!

Serie Ilustres:
Pauet quiere un violonchelo

Serie Igualitos:
Así soy yo
Mi silla de ruedas
Soy gordito
Con la otra mano

Ganador 2do lugar "Mejor libro ilustrado para niños" Latino Book Awards 2006

Escogido entre los mejores libros infantiles de 2006 por la revista 'Criticas'

Los libros de la Colección Nueve Pececitos son lecturas para hacerlas con los familiares, con los maestros en la biblioteca o en el salón de clase, como lectura suplementaria, y para los niños que ya dominan la lectura.

Serie Cantos y Juegos

Elementos de la tradición puertorriqueña resurgen a través de libros de nanas, canciones y juegos infantiles.

Serie Raíces

Las raíces culturales que conforman al puertorriqueño son la base temática de estos textos. Estos libros abren las puertas al mundo de nuestras tradiciones.

Serie Ilustres

Cuentos infantiles basados en la vida y obra de personajes que han tenido una presencia particular en nuestra historia. Hombres y mujeres cuyo legado debe ser conocido por las nuevas generaciones.

Serie Igualitos

Se explora cómo debemos incluir a todos los niños y niñas en las actividades diarias y en el salón de clase, sin importar que luzcan de manera diferente o tengan algún impedimento físico.

Serie Mititos

La fantasía y la realidad parecen fusionarse para presentar los relatos con que nuestros antepasados explicaban los misterios del universo.

Primera edición, 2008
©La Editorial, Universidad de Puerto Rico, 2008
Todos los derechos reservados

Mi hermanito es autista
Eileen Whitlock Manrique

ISBN: 978-0-8477-1579-4

Ilustraciones: Mrinali Álvarez Astacio
Diseño: Víctor Maldonado Dávila
Somos La Pera, Inc.
Impreso por Cargraphics S.A.
Impreso en Colombia - Printed in Colombia

LA EDITORIAL
UNIVERSIDAD DE PUERTO RICO
Apartado 23322, San Juan, Puerto Rico 00931-3322
www.laeditorialupr.com